Eurêka

Steve Parker

Charles Darwin
et l'Evolution

Editions du Sorbier
51, rue Barrault
75013 Paris

Crédits photographiques :

Bridgeman Art Library, p.5,12 haut,15 gauche,16,21 haut
Cambridge University Library pour cette page

Bruce Coleman Limited 13,14 haut,24 haut
Edimburgh Photographic Library 6

E.T. ARchive,20,25

Mary Evans Picture Library,4,7,10 haut,14 centre,18,21 bas,26

Robert harding Picture Library 8,11,12 bas,14 bas,15 droite,23
ICCE Photolibrary 27 gauche

Oxford Scientifique Films Limited 24 bas
Science Photo Library10 bas Dr Morley Read,27 droit Lawrence

Livermore Laboratoy

Illustrations de Tony Smith, p9,19

Rodney Shackell, p. 5,8,11,17,22
Responsable éditorial, Kate Scarborough
Maquette : Andrew Oliver
Recherche iconographique : Vanessa Kelly

Table des matières

Introduction

La théorie de l'évolution est l'une des idées les plus importantes pour l'étude de la nature. Elle donne aux biologistes la base fondamentale pour l'étude des êtres vivants. Cette théorie aide à classifier dans des groupes, les animaux et les plantes. Elle aide à comprendre les relations entre ces groupes, l'apparence et la nature des êtres vivants, ainsi que des fossiles. Et elle représente une part essentielle de la recherche sur les propres origines de l'homme.

Il y a moins de 150 ans, l'idée même d'évolution était totalement inconnue. La plupart des scientifiques du monde occidental s'en tenaient aux enseignements de la Bible, affirmant que toutes les espèces vivantes, animaux et plantes, des tigres aux termites, des arbres aux champignons, créées par Dieu, sont restées inchangées depuis le moment de leur création. Quelques scientifiques soupçonnaient que les espèces auraient pu ne pas toujours être les mêmes, et évoluer avec le temps, mais ils ne pouvaient en fournir la preuve.

Charles Darwin, un naturaliste anglais, le fit. Il suggéra l'idée de la lutte pour l'existence. Les animaux et les plantes engendrent plus de descendants qu'il ne pourrait en survivre. La nature choisit ou sélectionne les animaux ou plantes qui survivront ou disparaîtront. Et pendant ce processus de sélection naturelle, les animaux et plantes changent graduellement, ou évoluent, de façon à mieux s'adapter à leur environnement. Certaines espèces meurent tandis que d'autres apparaissent. La théorie de Darwin provoqua une révolution dans le monde scientifique et dans la société. Elle a façonné, depuis, la réflexion des scientifiques et en particulier des biologistes.

Shrewsbury (Shropshire, Angleterre), au milieu du 19e siècle. Charles Darwin vécut dans cette charmante ville commerçante, sur la rivière Severn, jusqu'à l'âge de 16 ans environ, et la quitta pour l'école de médecine d'Edimbourg (Ecosse).

Chapitre I
Les premières années

Charles Robert Darwin est né en Angleterre à Shrewsbury, le 12 février 1809. Son père, Robert, était médecin, et sa mère, Susannah, était la fille du fameux potier, Josiah Wedgwood. Le grand-père de Charles, Erasmus Darwin, était bien connu en son temps comme un scientifique aux idées originales. Il avait écrit sur toute une série de sujets, comme les voyages aériens, l'exploration sous-marine et l'évolution.

En dépit de ses père et grand-père si érudits, les premières années de Charles à l'école de Shrewsbury ne furent pas remarquables. De nombreuses années plus tard, il écrivait "Je crois que mes maîtres et mes parents me considéraient comme un garçon ordinaire, d'intelligence plutôt inférieure à la moyenne".

Le grand-père de Charles, Erasmus Darwin (1731-1802) notait en vers ses idées scientifiques. Son poème, "le jardin botanique" décrit le système de classification de l'univers des plantes. Dans son ouvrage "Zoonomia", il expose ses idées sur l'influence de l'environnement sur les êtres vivants.

Bataille avec un scarabée

Le jeune Darwin s'intéressa de lui-même aux animaux, plantes, coquillages, rochers, qu'il collectionna. Il lut : *"Une histoire naturelle de Selborne"* de Gilbert White, qui l'encouragea à se promener dans sa région, observant et collectionnant.

Un jour, il détacha d'un arbre un morceau d'écorce et découvrit deux espèces rares de scarabées. Il en prit un dans chaque main quand il en vit un troisième. Ne voulant pas le laisser échapper, il le mit dans sa bouche. Le scarabée envoya une giclée d'un liquide si acide que Darwin dut le recracher.

De la médecine à la religion

En 1825, Charles entra à l'école de médecine d'Edimbourg. Il réalisa très vite que la médecine n'était pas pour lui. Il en trouvait la lecture obscure et ne pouvait assister à l'horreur des opérations (c'était avant l'utilisation du premier anesthésiant, le chloroforme). Il abandonna donc la médecine, au grand regret de son père. En 1828, Darwin entra à l'université de Cambridge pour y étudier la Bible et devenir pasteur. Plus tard il écrit : "Je ne doutais pas alors de la stricte vérité d'un seul mot de la Bible".

Préparant une expédition

En dépit de son vif intérêt pour la chasse aux perdreaux, plutôt que pour la lecture, Darwin fut diplômé à Cambridge en 1831. Ils se lia avec deux de ses professeurs, le géologue Adam Sedgwick et le botaniste John Henslow, et il continua de développer son intérêt pour les roches, fossiles, animaux et plantes.

Charles devait étudier la médecine à Edimbourg, de 1825 à 1827. Mais il consacra beaucoup de temps à observer les roches, animaux, plantes et autres espèces de la nature.

Darwin découvrit alors le récit des explorations d'Alexandre von Humboldt. Plutôt que de devenir pasteur, il décida alors d'organiser une expédition d'histoire naturelle aux îles Canaries. Au même moment, la Marine royale préparait une expédition d'étude autour de la terre, dirigée par le capitaine Robert Fitz-Roy. Fitz-Roy demanda au professeur Henslow de lui recommander un naturaliste.

Henslow, connaissant l'intérêt de Darwin, le proposa pour ce travail. Le père de Darwin refusa d'abord de verser la somme demandée, mais fut ensuite convaincu qu'il s'agissait d'une bonne occasion pour son fils.

Le 27 décembre 1831, Charles Darwin prit place sur le voilier jaugeant 235 tonneaux, le *Beagle*.

L'excitation de Darwin fut rapidement calmée par un terrible mal de mer !

Alexandre von Humboldt (1769-1859) était un célèbre scientifique et explorateur allemand. Il voyagea en Amérique du Nord et du Sud et en Asie. Il s'intéressait à tous les aspects de la science, de la botanique à l'astronomie (étudiant les planètes et les étoiles) et écrivit de nombreux ouvrages de vulgarisation scientifique.

Idées sur l'évolution

Charles Darwin ne fut pas le premier à penser à l'évolution. D'autres avant lui y avaient pensé. Leurs idées l'ont aidé à former sa conviction sur la façon dont l'évolution se réalisait.

● Son grand-père, Erasmus Darwin, élabora quelques vagues idées sur l'évolution dans son livre "Zoonomia".

● L'année de la naissance de Darwin, le naturaliste français, Jean-Baptiste Lamarck, exposa ses idées sur le sujet qu'il appela "transformation" dans son livre *"Philosophie Zoologique"*.

● Robert Chambers, éditeur et géologue amateur écrivit *"Vestiges de l'histoire naturelle de la création"* en 1844, sans admettre en être l'auteur. Le titre suggérait l'idée de l'évolution et fut condamné, notamment par l'Eglise.

Chapitre II
Autour du monde sur le Beagle

Le *Beagle* faisait voile sur l'Atlantique vers l'Amérique du Sud. En arrivant à San Salvador, au Brésil, Darwin découvrit les merveilles de la nature. Son rôle était de recueillir des espèces de plantes, animaux, roches et fossiles, et de rédiger des observations sur chaque endroit visité. Bientôt, le *Beagle* fut rempli de spécimens de toutes espèces, régulièrement embarqués et réexpédiés vers l'Angleterre.

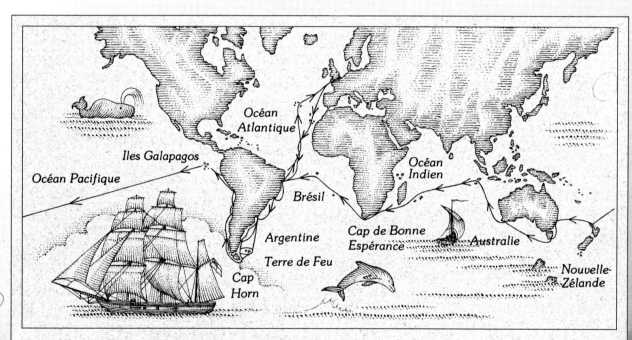

Robert Fitz-Roy avait pour mission de faire un tour du monde d'observation sur le Beagle. Il naviga vers l'Amérique du Sud par le cap Horn, et arriva aux îles Galapagos. Traversant l'océan Pacifique, il atteignit la Nouvelle-Zélande et l'Australie. A chaque escale, Darwin rassemblait des spécimens du monde vivant, plantes et animaux. Partant du sud de l'Australie, le Beagle traversa l'océan Indien, fit voile vers le cap de Bonne Espérance et retourna au Brésil avant de regagner l'Angleterre. Le voyage dura en tout cinq années, de 1831 à 1836.

*Le voilier "Beagle" mesurait
27,5 mètres de long, et jaugeait
235 tonneaux. Il avait été lancé
en 1820. Après un long voyage
en Amérique du Sud, il fut
rééquipé pour son dernier
parcours de cinq années
avec Fitz-Roy et Darwin.*

Squelette du mégathérium. L'énorme créature, 6 mètres de long, a vécu depuis environ un million d'années jusqu'à quelques centaines d'années seulement.

Forêts et fossiles

Darwin fut émerveillé par sa première excursion dans la forêt tropicale, et écrivit au sujet de "la luxuriance de la végétation, la variété des herbages, la nouveauté des plantes souvent vénéneuses, la beauté des fleurs, et le vert brillant des feuillages..."

Bientôt il trouva l'énorme tête fossilisée d'une créature géante disparue, le mégathérium. Plus tard, à Port San Julian, en Patagonie, il découvrit les fossiles d'une autre créature géante ressemblant à un gigantesque lama.

Petit à petit, Darwin commença à se poser des questions. Pourquoi certaines espèces d'animaux géants disparaissaient-elles, notamment le lama toujours présent en Amérique du Sud ? Il y avait sûrement une relation entre les fossiles et les créatures toujours vivantes.

La forêt tropicale où l'humidité et la chaleur produisent une végétation extraordinairement variée et abondante.

Des bergers installant un campement pour la nuit dans la Pampa (Amérique du Sud). Darwin remarqua la différence des herbages après le passage du bétail.

Les éléments du changement

Comme le *Beagle* faisait voile vers le sud, Darwin commença à réfléchir sur les changements dans le monde naturel. En Argentine, il nota que l'herbe épaisse de la pampa ne poussa plus de la même façon à partir du moment où fut introduit le bétail. La nouvelle herbe était plus courte et plus fine. Broutée et piétinée par le bétail, l'herbe naturelle de la pampa semblait s'être transformée, laissant place à des variétés d'herbes différentes.

A l'extrême sud américain, Darwin s'étonna de voir comment les populations autochtones supportaient la neige et les bourrasques, vêtues seulement d'une mince peau de bête, dormant à même la terre humide, en plein air. Il écrivit : "La nature a habitué les habitants au climat et aux ressources de cette contrée misérable". C'est l'une de ses premières observations sur la manière dont les êtres vivants changent ou s'adaptent à leur environnement.

La conservation dans la roche

Charles Darwin rassembla de nombreux fossiles au cours de ses voyages. A cette époque, on pensait que les fossiles étaient les restes d'animaux ou de plantes morts depuis longtemps. Le point de vue unanime était qu'ils se formaient après une grande catastrophe, comme le déluge qui tua un grand nombre d'êtres vivants. Le fait est que les fossiles, enfouis profondément dans la roche n'étaient pas familiers. Le grand expert en fossiles, Georges Cuvier, l'expliquait par une série de catastrophes ayant chacune détruit une forme de vie, donnant alors naissance à une nouvelle sélection d'animaux et de plantes mieux adaptés à la vie sur terre.

Des changements continuels

Dans *"Les principes de Géologie"* (1830-1833) Charles Lyell énonça le principe de continuité. Cela signifie simplement que les processus observés dans la nature, par exemple la côte usée par la mer, ou les tremblements de terre provoquant des déplacements terrestres, sont déjà arrivés dans le passé, et cela nous semble évident maintenant, mais à l'époque, cette idée était nouvelle.

Darwin réalisa que les changements qu'il avait observés dans ses voyages pouvaient aussi avoir eu lieu dans le passé. L'environnement se transforme, les animaux et les plantes aussi. Les écrits de Lyell furent très importants pour l'élaboration de sa théorie sur l'évolution.

Tremblement de terre au Chili

Le *Beagle* suivit l'alignement rocheux, au long des 2 000 km de côte sud-américaine, du Rio de la Plata à la Terre de Feu. Darwin observa que, dans cette même chaîne, les rochers du sud s'élevaient à plus de 100 mètres au-dessus du niveau de la mer par rapport à ceux du nord. Le continent entier semblait s'incliner. Avait-il bougé depuis sa formation ?

Le bateau contourna le cap Horn et fit voile vers la côte ouest de l'Amérique du Sud. Le 20 février 1835, il y eut un grand tremblement de terre dans la région. Entrant dans le port de Concepción au Chili, Darwin mesura l'étendue de la catastrophe. Il nota que les roches autour du port avaient été soulevées d'environ un mètre. Les coquillages et crustacés qui étaient normalement dans l'eau se trouvaient à l'air et secs. Une telle catastrophe pouvait-elle changer l'environnement et par conséquent entraîner un changement des plantes et animaux ?

Opossum d'Argentine. L'un des animaux décrits par Darwin dans ses voyages. L'opossum d'Amérique compte parmi les quelques types de marsupiaux vivant hors d'Australie.

Chapitre III
Evolution à l'Equateur

En 1835, le *Beagle* quitta l'Amérique du Sud et traversa l'océan Pacifique. A environ 1 000 km du continent, il fit escale dans l'archipel des Galapagos, une douzaine de petites îles rocheuses situées sur l'Equateur.

Darwin fut cette fois impressionné par l'aspect étrange des oiseaux, reptiles et autres animaux. Il n'avait jamais rencontré ces espèces particulières, qui semblaient n'appartenir qu'à ces îles bien qu'elles aient de nombreuses similitudes avec celles du continent sud-américain.

Tortues et poissons

Chaque île avait ses propres espèces d'animaux. C'était le cas des tortues géantes, par exemple, pesant plus de 200 kilos et que l'équipage chevauchait. La population pouvait dire précisément de quelle île venait chaque tortue à la seule vue de sa carapace.

Il y avait également un type différent d'oiseaux *moqueurs* sur chaque île. De nombreuses fleurs étaient uniques d'une île à l'autre, malgré quelques similitudes.

Les tortues géantes vivaient sur de nombreuses îles du Pacifique (Galapagos). Elles sont maintenant très rares et protégées.

Une partie des îles Galapagos est très rocheuse. Ces îles furent formées par des volcans sous-marins. Plantes et animaux y apparurent il y a un million d'années environ.

Darwin était tout paticulièrement intrigué par un groupe d'oiseaux, les pinsons. La plupart étaient petits, et au plumage brun. Mais chaque espèce avait un bec légèrement différent, permettant d'attraper une certaine catégorie de nourriture. Darwin écrivit : "Il est étonnant de constater qu'en raison de la rareté des oiseaux sur cet archipel, une espèce se soit petit à petit transformée à des fins différentes ". L'idée de l'évolution prenait racine.

Un iguane de mer paressant au soleil. C'est l'unique lézard séjournant en eau peu profonde et se nourrissant d'algues.

Une orchidée pourpre des îles Galapagos. Darwin trouva beaucoup d'autres variétés d'orchidées sur ces îles.

Les pinsons de Darwin

Les 13 espèces de pinsons vivant dans les îles Galapagos n'existent nulle part ailleurs. Chaque espèce a un bec particulier, lui permettant d'attraper un certain type de nourriture. Par exemple :

1. Ce grand pinson a un énorme bec lui servant à broyer et croquer les graines dures.

2. Ce pinson a un bec plus fin et plus petit, mais assez fort pour croquer des graines dures mais plus petites.

3. Ce pinson gazouilleur a un bec long et fin pour explorer les fissures et attraper les insectes.

4. Ce petit pinson a un bec petit mais solide pour croquer des graines petites et dures.

De nos jours, les pinsons sont un exemple typique de l'évolution. Les îles Galapagos, formées de volcans sous-marins, n'existent que depuis quelques milliers d'années. On pense que les pinsons d'Amérique du Sud arrivèrent là poussés par des vents violents. Les pinsons y trouvèrent des plantes et animaux en abondance. L'espèce initiale évolua en différentes espèces, chacune adaptée à sa source d'alimentation, et n'étant pas en compétition l'une avec l'autre.

Le peuple Maori vivait en Nouvelle-Zélande longtemps avant l'arrivée des Européens. Ces pêcheurs en canoë sont à la recherche de poissons et crustacés. Ce personnage Maori fut peint en 1847 quelques années après la visite de Darwin. Sa cape de plumes indique qu'il est le chef de sa tribu.

Les îles coralliennes du Pacifique

Le *Beagle* traversa l'océan Pacifique vers Tahiti, où Darwin fut séduit par les sommets neigeux, les plantes tropicales, les animaux chatoyants et la vie simple et naturelle des habitants.

Le voyage continua vers la Nouvelle-Zélande et l'Australie. Darwin fut profondément troublé par les conditions de vie misérables des populations. Dans leur propre pays, elles étaient gouvernées et réduites en esclavage par les colons européens. Cela sembla lui confirmer ses observations sur le monde animal : le plus fort opprime toujours le plus faible.

Dans l'océan Indien, Darwin, maintenant voyageur expérimenté et ayant rassemblé une centaine de spécimens, élabora sa théorie sur la formation des récifs coralliens et des atolls.

La jeune Emma Wedgwood, épouse de Darwin. Parmi leurs dix enfants on trouvera le botaniste Francis Darwin et le mathématicien George Darwin.

Chapitre IV
Retour en Angleterre

Le *Beagle* et son équipage abordèrent Falmouth le 2 octobre 1836. Darwin passa les quelques années suivantes à organiser et cataloguer sa vaste collection de plantes, animaux, roches et fossiles. Il fut aidé par Richard Owen, qui devait devenir plus tard l'un de ses plus grands adversaires.

En 1838, Darwin épousa sa cousine Emma Wedgwood. L'année suivante, son ouvrage : "*Journal de recherche d'histoire naturelle et géologie des régions visitées pendant le voyage autour du monde du Beagle*" fut un grand succès en dépit de son titre trop long. Darwin devint membre de la "Royal Society". La même année, respecté à la fois comme écrivain et scientifique, il s'installa à Down, dans le Kent, où il resta jusqu'à la fin de sa vie.

La maison de Down, dans le Kent. Pendant plus de quarante ans la famille de Darwin y vécut.

La formation du corail

A l'époque de Darwin, il y avait plusieurs théories sur la formation des massifs coralliens. L'une était que ces massifs coralliens croissaient au sommet de volcans immergés. L'autre était que les amas durcis des squelettes des tout petits coraux s'agglutinaient et s'accumulaient au-dessus de la mer. Darwin utilisa ses dons pour observer et mettre à jour minutieusement les éléments essentiels.

Il vit que les coraux apparaissaient seulement dans les eaux chaudes et peu profondes. Il comprit que les montagnes immergées dont le sommet seul apparaissait, s'enfonçaient lentement. Les coraux, essayant de se maintenir dans l'eau peu profonde édifiaient leur squelette solidifié d'une génération à l'autre.

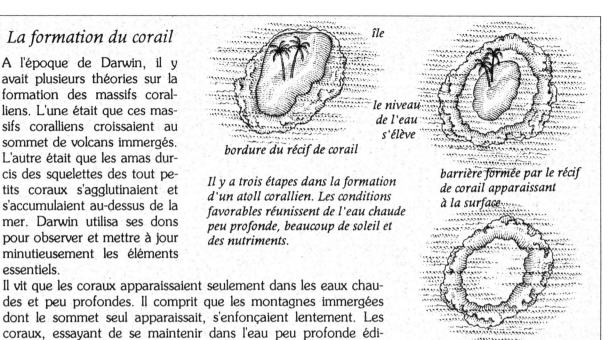

île

le niveau de l'eau s'élève

bordure du récif de corail

Il y a trois étapes dans la formation d'un atoll corallien. Les conditions favorables réunissent de l'eau chaude peu profonde, beaucoup de soleil et des nutriments.

barrière formée par le récif de corail apparaissant à la surface

formation de l'atoll

Le travail à Down

Entre 1840 et 1850, Darwin continua ses recherches et ses écrits à Down. Pendant un temps, il retourna à "ses premières amours", la géologie.

Pendant le voyage sur le *Beagle*, les lagons coralliens et les îles Cocos, dans l'océan Indien, lui avaient permis d'imaginer la formation des grandes structures calcaires. Son livre "Structure et répartition des massifs coralliens" parut en 1842. Deux ans plus tard, il publia "*Observations géologiques des îles volcaniques*" et après deux années encore : "*Observations géologiques de l'Amérique du Sud*".

Mais sa santé faiblissait. Il ne pouvait plus travailler que quelques heures par jour, et il prit l'habitude de se promener dans son jardin. Ses malaises ne furent pas identifiés, mais on pensa à une maladie tropicale, contractée au cours de son voyage autour du monde.

Un éclair d'inspiration

En dépit de ses malaises, Darwin continua ses recherches sur l'évolution. Il fut de plus en plus convaincu que les espèces vivantes n'étaient pas fixées de façon immuable. Elles évoluaient. Il l'écrivit dans une courte version en 1842, mais décida de rassembler le maximum d'informations, afin de publier l'ouvrage révélant les preuves de ses théories. Il questionna des éleveurs de pigeons, afin de comprendre comment ils accouplaient les oiseaux sélectionnés pour produire une nouvelle variété. C'était là une forme de "sélection artificielle".

Mais, comment les espèces changeaient-elles dans la nature ? Quelle force les transformait avec le temps ? Darwin élabora alors l'idée de sélection naturelle. Le principe en était le même que pour la sélection artificielle, mais seule la nature choisissait.

Joseph Hooker (1817-1911) dirigea "Kew Gardens" à la suite de son père William. Il voyagea en Inde et dans les monts Himalaya et rapporta beaucoup de plantes en Angleterre, notamment le célèbre Rhododendron.

La conviction avouée

Pendant plusieurs années, Darwin hésita à publier ses idées sur l'évolution des espèces par sélection naturelle. Il pensait bien que les animaux et les plantes évoluaient naturellement. Néanmoins la majorité des gens de l'époque, y compris les scientifiques, s'en tenaient toujours à la seule parole de la Bible.

En 1844, il écrivit à son ami Joseph Hooker, directeur du Jardin Botanique Royal de Kew à Londres. "Je suis convaincu (contrairement à mon opinion initiale) que les espèces ne sont pas immuables..."

Comme cela avait été le cas pour le scientifique italien Galilée deux siècles plus tôt, Darwin savait que s'élever contre les enseignements de la Bible serait considéré comme une offense et susciterait un torrent de protestations.

Darwin aurait pu ne jamais terminer son travail sur l'évolution, sans une lettre qui parvint à Down en provenance de l'archipel malais, en juin 1858.

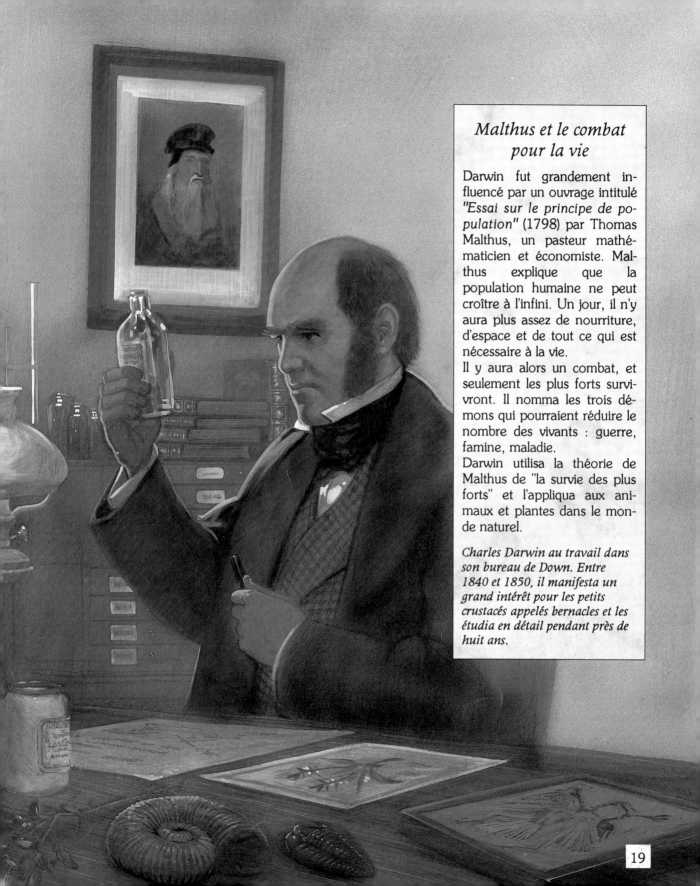

Malthus et le combat pour la vie

Darwin fut grandement influencé par un ouvrage intitulé *"Essai sur le principe de population"* (1798) par Thomas Malthus, un pasteur mathématicien et économiste. Malthus explique que la population humaine ne peut croître à l'infini. Un jour, il n'y aura plus assez de nourriture, d'espace et de tout ce qui est nécessaire à la vie.

Il y aura alors un combat, et seulement les plus forts survivront. Il nomma les trois démons qui pourraient réduire le nombre des vivants : guerre, famine, maladie.

Darwin utilisa la théorie de Malthus de "la survie des plus forts" et l'appliqua aux animaux et plantes dans le monde naturel.

Charles Darwin au travail dans son bureau de Down. Entre 1840 et 1850, il manifesta un grand intérêt pour les petits crustacés appelés bernacles et les étudia en détail pendant près de huit ans.

Le livre qui ébranla le monde

Alfred Wallace voyagea en Amérique du Sud et en Extrême-Orient, collectionnant des pièces pour les musées. Comme Darwin, il était fasciné par l'extraordinaire variété de la forêt tropicale. Immobilisé par une fièvre dans le Sud-Est asiatique, il se souvint du livre de Malthus. Il eut le même éclair d'inspiration et adopta l'idée d'évolution par sélection naturelle. "Dans l'ensemble, le meilleur s'adapte. Le plus fort échappe à la maladie, le plus courageux, le plus rapide, échappe à ses ennemis, le meilleur chasseur échappe à la famine etc."

Alfred Wallace travailla d'abord comme contremaître dans les chemins de fer anglais. A l'âge de 25 ans, il commença à voyager et à rassembler de nouvelles espèces d'animaux et de plantes, dans la jungle de l'Amérique du Sud et du Sud-Est asiatique.

Cette lettre venait d'un autre naturaliste anglais, Alfred Wallace. Wallace connaissait l'intérêt de Darwin pour l'évolution. Il joignit à cette lettre le sommaire de sa théorie *"Tendance des variétés à s'éloigner indéfiniment de leur aspect originel"*.

Darwin était stupéfié ! Tout le travail qu'il avait si patiemment élaboré pendant les vingt dernières années, était tout simplement décrit par Wallace. Il avoua : "Les termes mêmes employés par Wallace sont les titres de mes chapitres".

Deux amis scientifiques, Lyell et Hooker, persuadèrent Darwin et Wallace de présenter leur travail le plus vite possible à un congrès scientifique. C'est ce qui arriva en juillet 1858, à la Linnean Society de Londres. Wallace accepta que Darwin, qui avait approfondi et mis davantage en évidence leurs théories, présente seul les travaux. Darwin termina donc rapidement son énorme ouvrage qui fut publié le 24 novembre 1859 sous le titre *"De l'origine des espèces par voie de sélection naturelle"*.

Les idées nouvelles de Charles Darwin devinrent un sujet de plaisanteries. Ses théories étaient totalement incomprises. Les gens croyaient que les hommes avaient évolué à partir des grands singes et même à partir des serpents.

Les réactions à "L'origine des espèces"

L'éditeur du livre, John Murray, l'avait lu avant sa publication et réalisa l'immense réprobation qu'il susciterait. 1 250 exemplaires seulement furent imprimés, qui furent immédiatement vendus et aussitôt réédités. L'indignation était unanime. Darwin remettait en cause les vérités de la Bible ! Des scientifiques se regroupèrent pour s'exprimer. Les anciens collègues de Darwin, tel que le fameux naturaliste Philippe Gosse, Richard Owen (qui avait participé sur le *Beagle* à rassembler des spécimens) et Adam Sedgwick (son professeur à Cambridge) se retournèrent contre lui. Louis Agassiz, professeur à Harvard et successeur de Cuvier, le critiqua. Un prêtre qualifia le tranquille Darwin "d'homme le plus dangereux d'Angleterre".

D'autres au contraire reconnurent l'excellente démarche scientifique de l'oeuvre de Darwin, et l'impressionnante qualité des preuves démontrant sa théorie. Le biologiste Thomas Huxley le soutint en Angleterre, de même que Hooker et Lyell. Le professeur de botanique de l'université de Harward, Asa Gray, fut son ardent défenseur en Amérique du Nord. Darwin, lui, resta à Down et ne prit qu'une faible part à toutes ces discussions.

Un grand singe comme ancêtre ?

L'un des sujets d'incompréhension de "*L'origine des espèces*" concernait notre propre évolution. Les journaux racontaient que Darwin faisait descendre les hommes des grands singes, gorilles et chimpanzés.

C'est faux évidemment. Sa seule indication à ce sujet est : "La lumière devra être faite sur l'origine de l'homme et son histoire."

Il y a seulement deux variétés d'éléphants de nos jours, d'Afrique et d'Asie. Mais l'étude des fossiles montre qu'il en existait dans le passé d'autres variétés.

(1) Möenitherium : *petit spécimen vivant il y a environ 35 millions d'années.*

(2) Trilophodon : *animal à grande mâchoire vivant en Afrique, Amérique du Nord et Eurasie il y a environ 20 millions d'années.*

(3) Platybelodon : *à la mâchoire en forme de pelle, vivant il y a 10 millions d'années.*

(4) Le mammouth royal : le plus grand de la famille des éléphants avec des défenses, (5) comme l'éléphant africain d'aujourd'hui. Le mammouth vivait il y a environ 1 million d'années. L'étude de l'évolution de l'éléphant montre l'évolution du climat. Par exemple, le mammouth royal avait une fourrure longue et épaisse, pour survivre dans le terrible froid de l'ère glaciaire.

Evolution par la sélection naturelle

Evolution signifie simplement changement. Les animaux et les plantes changent avec les saisons. Darwin établit que la nature faisait son choix, de la façon suivante :

Reproduction : les enfants ressemblent à leurs parents mais sont différents des autres espèces : les tigres ont des bébés tigres, les lions, des bébés lions et ainsi de suite.

Trop de descendants : tous ne peuvent survivre. Darwin calcula qu'en 750 ans, un couple d'éléphants aurait, si tous survivaient, 19 millions de descendants.

Changements : tous les descendants ne se ressemblent pas. Il y a des variations de taille, de force, de couleur etc. De nouvelles caractéristiques apparaissent à chaque génération.

Sélection naturelle : la vie est une lutte pour trouver la nourriture, l'espace vital, tout ce qui est essentiel. Certaines caractéristiques peuvent aider dans cette lutte, comme des dents plus aiguisées chez le chasseur, ou plus de graines dans une plante. Ces caractéristiques permettent une meilleure adaptation à l'environnement.

Héritage : si une caractéristique habituelle est acquise, le descendant, (animal ou plante) en héritera. Cela l'aidera à survivre et à procréer davantage.

Evolution : après une très longue période, et de nombreuses générations, les caractéristiques sont inhérentes à la plus grande partie de l'espèce. L'espèce évolue.

Origine des espèces : les espèces les mieux adaptées à leur environnement triomphent. Les autres disparaissent. Les espèces évoluent sans cesse pour s'adapter en permanence aux changements extérieurs.

Qu'est-ce que "l'origine"?

"De l'origine des espèces par voie de sélection naturelle" est un long livre, mais parfaitement lisible. Il commence par l'observation de "l'évolution par domestication" des pigeons, chevaux et fleurs de jardins. Puis il décrit les variétés dans la nature, et les problèmes pour l'identification des espèces. Il démontre comment les descendants de mêmes parents sont à la fois identiques et différents. Ces légères différences peuvent donner à certains une meilleure chance de se maintenir en vie. Les chapitres 6 et 7 évoquent les "difficultés de la théorie et les objections". Le chapitre 8 parle de l'instinct animal et les chapitres suivants, des fossiles et de l'origine géographique des espèces. Darwin décrit les caractéristiques de tous les comportements animaux et végétaux. Cependant, il n'explique jamais l'origine d'une espèce particulière.

Domestication

Les moutons furent domestiqués il y a dix mille ans environ. Il fournissaient la laine, le lait et la viande. Ci-dessus, un mouton australien élevé spécialement pour sa laine et sa viande. Ci-dessous, le bouquetin, élévé pour son lait et sa viande. Les éleveurs emploient la sélection artificielle pour obtenir des centaines de variétés de moutons.

23

Chapitre VI
La lutte pour convaincre

"*L'origine des espèces*" ébranla et choqua beaucoup de gens, y compris la propre famille de Darwin. Accepter la théorie de l'évolution signifiait accepter que les textes de la Bible puissent être faux. Beaucoup de scientifiques tentèrent de croire aux deux. Peu à peu, cependant, la théorie de l'évolution par sélection naturelle fit son chemin, et la plupart des scientifiques comprirent que Darwin avait raison.

Après la publication de "*L'origine des espèces*", Darwin reprit ses recherches, et continua ses expériences. En 1871, il publia "*La descendance de l'homme et la sélection sexuelle*". Dans cet ouvrage, il conclut que les hommes ne sont pas le résultat d'une création spécifique, mais qu'ils ont évolué, comme les autres animaux. On pouvait retrouver la trace de leurs ancêtres dans la plus lointaine préhistoire. Finalement, toutes les espèces vivantes sont issues du "filament de vie" déjà mentionné par son grand-père, Erasmus, dans ses oeuvres.

Les bois du cerf et les plumes du paon sont des exemples de la sélection sexuelle, une forme de sélection naturelle. Les femelles choisissent les mâles se montrant sous leur aspect le plus avantageux, et le descendant mâle hérite de ces avantages. Au cours des siècles, les bois du cerf mâle deviennent plus grands pour impressionner la femelle. Les paons ayant les plus belles plumes ont été ceux choisis par la femelle.

La sélection sexuelle

La sélection naturelle montre que les caractéristiques d'un être vivant (taille, couleur, apparence, organes internes, comportements etc.) évoluent pour lui donner le maximum de capacité de survie. Mais quelques caractéristiques semblent réduire cette capacité.

Les plumes splendides du paon devraient être arrachées par les broussailles ou vite décelées par les prédateurs et pourraient devenir une entrave.

Mais les femelles sont attirées et s'accouplent avec les mâles dont les plumes leur ont fait la plus forte impression. Ces mâles transmettront leurs caractéristiques à leur progéniture. C'est important pour survivre et laisser des descendants.

A la fin de sa vie, Charles Darwin était devenu très célèbre. Les plus grands scientifiques lui rendaient visite, mais il préférait habituellement vivre tranquillement entouré de sa famille à Down.

Les dernières années

A partir de 1870, la santé de Darwin s'améliora. En 1877, il reçut un diplôme d'honneur de l'université de Cambridge. Il continua d'écrire des livres au sujet des insectes, des plantes carnivores, comment les plantes poussent, et comment les vers de terre enrichissent le sol.

A la suite d'une première attaque cardiaque en 1881, Darwin s'éteignit tranquillement à Down, le 19 avril 1882, à l'âge de 73 ans. L'énorme indignation provoquée à la publication de "*L'origine des espèces*" s'était éteinte également. Charles Darwin était devenu une personnalité nationale, et l'un des scientifiques les plus connus de son temps. Il fut enterré à l'abbaye de Westminster, à Londres aux côtés d'Isaac Newton. Les funérailles furent suivies par nombre de politiciens, inventeurs, explorateurs, scientifiques et artistes, ainsi que par les membres des sociétés scientifiques de nombreux pays.

Chapitre VII
Après Darwin

Les travaux de Darwin expliquent comment les animaux et les plantes possèdent leurs caractéristiques propres, et donnent ainsi la signification du schéma du regroupement et de la classification des espèces, imaginé principalement par le naturaliste suédois Carl von Linné au 18e siècle. Certains groupes d'espèces sont très proches, ayant évolué à partir d'un même ancêtre. Les travaux de Darwin expliquent également les fossiles représentant des animaux et des plantes morts depuis longtemps. Cependant, plusieurs ont évolué en d'autres espèces, qui ont triomphé pour un temps. Les fossiles donnent un modèle d'évolution à travers les âges.

Gregor Mendel réalisa de nombreuses expériences sur des petits pois. Il observa comment l'aspect, tel que la couleur jaune ou verte, ou la peau fine ou épaisse, se transmettait d'une plante à l'autre, année après année.

Résultats pratiques

La théorie de l'évolution par la sélection naturelle donne aux scientifiques une base pour énoncer leurs expériences et observations. Quand il regarde l'aspect d'une plante ou d'un animal, le biologiste se demande : "Quelle est son utilité ? Cet aspect sert-il à la survie de l'espèce et à sa reproduction ?".

Mendel et l'hérédité

Darwin ne savait pas comment certaines caractéristiques se transmettaient des parents aux enfants et pourquoi il y avait de légères différences entre les descendants.
A l'époque où "*L'origine des espèces*" provoquait un tel tapage, des expériences sur des pois eurent lieu dans le jardin calme d'un monastère de Brno par un moine Autrichien, Gregor Mendel. Ce travail fut le début de la génétique moderne. Il expliquait l'hérédité de certains caractères, transmis par ce que nous connaissons aujourd'hui sous le nom de gènes. Il démontrait comment certains gènes s'effacent et changent (muent) d'une génération à l'autre. Ces travaux ne furent reconnus que vers 1900. Ils résolurent beaucoup d'énigmes sur l'hérédité, et comblèrent certaines lacunes de la théorie de l'évolution.

Le néo-darwinisme

A l'époque de Darwin, la théorie de l'évolution par la sélection naturelle fut connue sous le nom de *darwinisme*. De nos jours, la théorie la plus complète sur l'évolution que nous connaissions est appelée *néo-darwinisme*. Elle combine la sélection naturelle avec la théorie de l'hérédité développée par les travaux de Mendel ainsi qu'avec les récentes découvertes sur la nature des mutations et l'importante découverte de l'ADN.

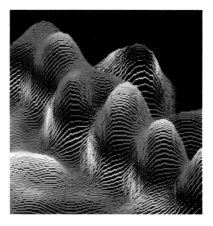

La couleur artificielle du spectre de l'ADN, la substance transmettant les gènes ou caractéristiques des parents à leur descendance.

"Le centre de recherches scientifiques de Charles Darwin" aux îles Galapagos, ainsi nommé en hommage au célèbre visiteur. Ces îles font désormais partie de l'Equateur.

L'évolution par paliers

L'évolution prend en général beaucoup de temps, des centaines de générations, des milliers ou millions d'années. beaucoup de scientifiques sont d'accord pour dire qu'il s'agit d'un processus graduel et continu.

Dans les années 1970 une nouvelle idée apparut : l'évolution se ferait par paliers. Les espèces resteraient très longtemps les mêmes, puis elles changeraient en évoluant brusquement dans une période de temps relativement courte pour se maintenir ensuite. Cette théorie est appelée : équilibre ponctuel. Elle peut s'avérer importante pour certains groupes d'animaux et de plantes, et est toujours en discussion.

Le Monde au temps de Darwin

	1800-1825	**1826-1850**
Sciences	1801 Jean-Baptiste Lamarck publie ses premières idées sur l'évolution 1804 Louis-Joseph Gay-Lussac, physicien français, fait une ascencion en ballon pour étudier le temps 1809 Naissance de Charles Darwin	1834 Première ligne ferrovière en France, Saint-Germain - Paris 1842 Richard Owen invente le mot "Dinosaure" 1846 Découverte de la planète Neptune
Explorations	1820 L'Antarctique atteinte pour la première fois par trois équipes séparées : russe, américaine et anglaise 1824 Une exposition de vestiges Aztèques provoque une énorme curiosité à Londres	1848 Henry Bates revient d'Amazonie, ayant rassemblé 14 000 espèces d'insectes en sept ans.
Politique	1803 Les Etats-Unis achètent la Louisiane à la France 1804 Napoléon est sacré Empereur des Français 1815 Défaite de Napoléon à Waterloo	1830 Prise d'Alger par les Français 1830 Indépendance de la Belgique
Arts et Lettres	1823 Beethoven termine la 9e Symphonie 1823 Naissance du rugby à Rugby school, en Angleterre	1829 Louis Braille achève sa méthode d'écriture en relief à l'usage des aveugles 1830 Eugène Delacroix peint "La Liberté menant le monde"

1851-1875	1876-1900
1859 Publication de "L'origine des espèces"	1876 Alexander Bell dépose une licence pour son invention : le téléphone
1869 Dimitri Mendeleïev publie la première table périodique des éléments chimiques	1879 Louis Pasteur fait d'importantes découvertes de vaccins
	1882 Mort de Charles Darwin
1854 Le baron Haussman entreprend la reconstruction de Paris qui durera 17 ans	1879 Adolf Nordenskjöld navigue dans le passage nord-est des côtes le long de l'Arctique, de l'Europe et de l'Asie
1860 John Speke découvre la source du Nil Blanc	
1871 Henry Stanley rencontre David Livingstone sur les rives du lac Tanganika, Afrique	1881 Les Français envahissent Tunis et établissent leur protectorat sur la Tunisie
	1882 Les hommes politiques arrêtent la construction du premier tunnel sous la manche entre la France et l'Angleterre
1851 Coup d'état en France, prise du pouvoir par Napoléon III	
1870-71 Guerre Franco-Prussienne. Chute de Paris. Proclamation de la commune, réprimée par Thiers. 40 000 à 50 000 communards massacrés	
	1879 Découverte en Espagne des grottes préhistoriques d'Altamira datant de 10 000 ans
	1883 Robert Louis Stevenson écrit "L'Ile au trésor"
1865 Jules Verne publie "De la Terre à la Lune"	1894 Rudyard Kipling publie "Le livre de la Jungle"
1874 Première exposition des peintres impressionnistes à Paris	

Lexique

ADN : Acide Désoxyribonucléique. Agent chimique formant les gènes transmis par les parents aux enfants.

Archipel : ensemble d'îles disposées en groupe.

Artificiel : non naturel, mais fait par l'homme. Dans la sélection artificielle, les hommes choisissent les animaux qu'ils veulent accoupler, pour produire une variété nouvelle. Dans la sélection naturelle, c'est la nature qui choisit.

Atoll : îles des mers tropicales. Récifs coralliens entourant un lagon.

Botaniste : personne qui étudie les plantes, les algues, mousses, fleurs, arbres...

Classification : classer les choses en groupes, puis en groupes de plus en plus larges. Tous les animaux à fourrure et à sang chaud sont classés dans le groupe des mammifères.

Digestion : transformation des aliments (mastication, déglutition) leur permettant d'être absorbés par l'organisme.

Domestication : processus par lequel un groupe d'animaux sauvages deviennent apprivoisés et familiers. Les hommes ont domestiqué les moutons, chats, boeufs, chevaux, chiens, et beaucoup d'autres animaux.

Evolution : transformations successives dans le temps, notamment des animaux et plantes.

Espèce : groupe d'animaux ou plantes étant classés dans un ensemble. Les membres d'une même espèce peuvent être accouplés entre eux, mais pas avec les membres d'une autre espèce.

Famine : manque total d'aliments, provoquant, à terme, la mort des individus qui en souffrent.

Filament de vie : nom populaire des premiers éléments de vie, tels que les filaments microscopiques apparus sur terre.

Feuillage : ensemble des feuilles des arbres et arbustes.

Fossiles : empreintes d'une plante ou d'un animal ayant vécu à l'époque préhistorique et conservées dans des sédiments ou roches.

Gènes : éléments chimiques microscopiques transportant les informations codifiées conditionnant la transmission des caractères héréditaires.

Génétique : science de l'hérédité, qui étudie la transmission des caractères anatomiques et fonctionnels des parents aux enfants.

Géologie : science qui a pour objet la description des matériaux constituant le globe terrestre et l'étude des transformations subies par la terre.

Immuable : fixé définitivement. Qui ne peut pas changer.

Hérédité : transmission des caractères génétiques des parents à leurs descendants (comme la couleurs des yeux, des cheveux…)

Naturaliste : personne qui étudie les animaux, plantes, minéraux et autres aspects de la nature.

Pampa : vastes prairies d'Amérique du Sud.

Parasite : être vivant qui prélève sa nourriture sur un autre être vivant, comme un moustique qui suce le sang ou une plante parasite telle que le gui.

Récif : groupe de roches à fleur d'eau, les récifs coralliens sont formés, dans les mers tropicales, par les squelettes des coraux agglutinés depuis des milliers d'années.

Index